生活教养
第一书

小鼠宝贝成长日记

听妈妈的话

（意）安娜·卡萨利斯/著　　（意）马克·坎帕奈拉/绘

李婧敬　项 妤/译

中国少年儿童新闻出版总社
中国少年儿童出版社

北京

小鼠宝贝一向是个乖宝宝，可是今天早上……不知道为什么，他醒来以后，特别任性。

　　吃过早饭，妈妈对他说："小鼠宝贝，换件衣服吧！穿上这件暖和的花绒线衫，不然一会儿出去散步，你会着凉的。"

　　小鼠宝贝嚷嚷起来："我不要！我就要穿这件蓝毛衣！"

妈妈轻声说："你这孩子！要是感冒了，可别怪妈妈！对了，宝贝，出门之前，你得先把玩具收拾好！"

　　"又不是我把它们弄乱的！都怪小熊泰迪！还有，我就是喜欢这样嘛，不然我都找不着它们了。"

　　就这样，小鼠宝贝和妈妈一起出门买东西去了，可是他任性的小脾气还没发完。

"妈妈，我要买玩具！""你要是能自己收拾玩具，妈妈就给你买。再说了，你的玩具已经不少了！"

"不嘛，我就是要买玩具！我就要那只黄色的小鸭子！"小鼠宝贝赖在那儿不肯走。妈妈也生气了："不许动不动就说'我要'，你要知道，就是皇帝也不能要什么就有什么！"

小鼠宝贝想坐旋转木马，他磨啊磨啊，妈妈总算同意了。不过，妈妈说，只许坐一圈哦！

　　"宝贝，快下来，咱们该走了。你都玩了五圈了，别的小朋友都比你听话。"小鼠宝贝抱着胸，翘着小鼻子，抗议说："我不！我不想下来，我还没坐过'小猪'呢！"

现在，小鼠宝贝又拽着妈妈的手喊开了："冰激凌！我要花生冰激凌！我要那个大大的，漂亮的！我要嘛，我要嘛！"可是，这次妈妈坚决不同意。"天这么冷，还不到吃冰激凌的时候。小鼠宝贝，乖，再过一会儿咱们就回家了，妈妈给你做你最喜欢的胡萝卜汤。"

小鼠宝贝和别的小朋友一起玩。

有人提议说："咱们一起玩球吧！"可小鼠宝贝把球紧紧地抱在怀里说："不！这是我的，才不给你们玩儿呢！"小朋友们失望地离开了。小鼠宝贝这才发现，一个人玩球，一点儿意思也没有。

"小鼠宝贝，咱们该回去了！"妈妈买完了东西，急着回家去。"我走不动了，妈妈你抱我！"小鼠宝贝赖在地上，妈妈怎么拖也不动弹。

　　妈妈开始失去耐心了，她生气地说："不行！走路对你有好处，而且妈妈很累了！"

小鼠宝贝又喊起来："我不回家！我不回家！我还想和小熊泰迪再玩一会儿！""不许再任性了，小鼠宝贝！现在天这么冷，再说，过一会儿天就黑了。爸爸在家里等着我们，妈妈还要回去做晚饭呢。"

　　"不，就不！我不要回家！"

　　小鼠宝贝挣开妈妈的手，紧紧抱着他的小熊泰迪跑开了。

"你在哪里，小鼠宝贝！快回来！"妈妈急得到处找。"你真是个坏孩子！"最后，妈妈无可奈何地说："妈妈现在就回去，让你一个人待在这儿！"可是小鼠宝贝还是藏在一个灌木丛后面，一声不吭。

妈妈走了，天也变黑了，小鼠宝贝从灌木丛后面跑出来。"好黑啊！什么声音这么吓人！呜呜，我害怕！"

在黑夜里，小鼠宝贝觉得有无数只眼睛凶巴巴地盯着他，他害怕得哭了起来。

"呜呜，妈妈，妈妈你在哪里呀！救救我！"

终于，妈妈和爸爸一起找来了。在手提灯暖暖的亮光里，他们发现了小鼠宝贝——他又冷又怕，浑身发抖，哭得可伤心了。爸爸妈妈又爱又恨地把他抱在怀里："不听话的小宝贝，终于找到你了！爸爸妈妈多么担心你！"

小鼠宝贝抹着眼泪说：“我再也不任性了！我要做个最听话的好孩子！我会把房间收拾整齐，再也不吵着吃冰激凌，再也不乱要东西，和小朋友们一起玩玩具，还有，我再也不乱跑了！”

嘿，给小鼠宝贝加油吧！我们相信，小鼠宝贝一定会说到做到！

好宝宝，不任性

——帮助宝宝克服任性的不良行为

文／林玉萍　早期教育专家

导读

《听妈妈的话》描述了小鼠宝贝任性的种种表现：天气冷不换衣服、为自己不收拾玩具找借口、见东西就要、独霸球不让别人玩儿、不自己走路让妈妈抱、躲藏起来逃离妈妈的视野等……这种顽皮、任性的特点在儿童发展中具有普遍性。

如果宝宝的任性没有得到纠正，任其随意发展，总有一天会因此而遭受挫折。故事中的小鼠宝贝就是这样，自以为不听妈妈的话、逃离妈妈会更好，却被漆黑的夜幕吓得浑身发抖。受到惩罚的小鼠宝贝终于明白，不能任性，要听爸爸妈妈的话。

阅读前：你是听爸爸妈妈话的好宝宝吗？

和宝宝讨论一下为什么要听爸爸妈妈的话？如果不听会怎样？结合讨论让宝宝理解，由于他年龄小，会有很多不懂的事情，而这些恰恰是爸爸妈妈经历过的，或者看到、听到过的，所以爸爸妈妈能够更好地处理这些

事情。要让宝宝知道，听爸爸妈妈的话可以避免遭受一些不必要的挫折。

阅读中：为什么小鼠宝贝任性不对？

我们在生活中经常会看到宝宝为得不到一件新玩具、新衣服而号啕大哭，独占玩具不给别人玩儿，玩完的玩具不收拾，让爸爸妈妈抱着不下来……宝宝之所以有这样的表现，是由于生活经验少，对是非分辨不清，认为自己的做法对；或者是家庭迁就、溺爱、众星捧月的教养方式，使宝宝逐渐养成不达目的不罢休的不良行为。

爸爸妈妈在为宝宝讲述的过程中，可以和宝宝一起围绕"小鼠宝贝不听爸爸妈妈的话为什么不对？任性为什么不好？"进行讨论，使宝宝认识到不要做不听话的小鼠宝贝，否则爸爸妈妈会生气，没有小朋友一起玩儿，自己也不快乐，而且还会受到惩罚。

阅读后：爸爸妈妈小时候任性的故事

爸爸妈妈可以和宝宝说一说自己小时候不听大人话，种种任性的表现以及造成的不好的后果，让宝宝了解人不是生下来就什么都懂、什么都知道。长大的过程中也会犯这样、那样的错误，但只要听人劝阻，勇于改正，就是不断进步的好宝宝。

From an idea by ANDREA DAMI

© 2010 Giunti Editore S.p.A.,Milano-Firenze
Dami International,a brand of Giunti Publishing Group

图书在版编目（ＣＩＰ）数据

听妈妈的话／（意）卡萨利斯著；（意）坎帕奈拉绘；
李婧敬，项妤译． –– 北京：中国少年儿童出版社，2010.8
（生活教养第一书·小鼠宝贝成长日记）
ISBN 978-7-5007-9911-5

Ⅰ．①听… Ⅱ．①卡… ②坎… ③李… ④项… Ⅲ.
①图画故事-意大利-现代 Ⅳ．①I546.85

中国版本图书馆CIP数据核字（2010）第165671号

著作权合同登记　图字：01-2010-5179

TING MAMA DE HUA
（生活教养第一书·小鼠宝贝成长日记）

出 版 发 行：中国少年儿童新闻出版总社
中国少年兒童出版社

出 版 人：李学谦
执行出版人：张晓楠

审　　读：徐寒梅	责任编辑：薛　彬
助理编辑：沈　娜	版式设计：刘香华
责任印务：杨顺利	

社　　址：北京市东四十二条21号	邮政编码：100708
总编室：010-64035735	传　　真：010-64012262
发行部：010-63908100　010-63908092	
http：//www.ccppg.com.cn	E-mail：zbs@ccppg.com.cn

| 印　　刷：北京缤索印刷有限公司 | 经　　销：新华书店 |

开　　本：889×980　1/16	印　　张：21
2010年8月第1版	2010年8月北京第1次印刷
	印　　数：10000册

| ISBN 978-7-5007-9911-5 | 定　　价：142.80元（共12册） |

图书若有印装问题，请随时向印务部退换。